Feest!

Rindert Kromhout
tekeningen van Jan Jutte

openbare basisschool
De Dassenboarch 23a 8651 CB IJlst
tel. 0515 - 53 16 06   2003

Z W IJ S E N

Nog één nachtje

'Nog één nachtje, Wil.
Dan is het zover.'
'Ja Bil, nog maar één nachtje.
O, wat heb ik er zin in.'
'Ik ook, Wil.
Ik kijk er ook naar uit.
Fijn, hè?'
'Nou en óf dat fijn is!
Slaap wel, Bil.'
'Slaap wel, Wil.'

Ziek

De dag breekt aan.
Het is zover.
Het jaar is bijna om.
Een kersvers jaar komt er aan.
Dus is er groot feest in het dorp.
Er komt een optocht.
Op het plein staat een snoepkraam.
In het park staat een tent.
Ook zal er vuurwerk zijn.
Wat een feest!

Om acht uur rekt Wil zich uit.
'Hmmm,' zegt hij.
'Het is oudjaar.
Feest!'
Wat heeft hij een zin in dat feest.
Heel het jaar keek hij ernaar uit.
Bil ook.
Bil en Wil zijn dol op feest.
'Opstaan, Bil,' zegt Wil.
'We gaan het dorp in.'
Maar Bil staat niet op.
Hij kreunt.
'O Wil,' zegt hij.
'Ik voel me niet goed.

Ik heb buikpijn.
Ik heb keelpijn.
Ik kan niet naar het feest.'
Wil wordt bleek.
'Echt waar?' vraagt hij.
'Ben je ziek?
O Bil, wat erg voor je.'
'Ja,' zegt Bil.
'Ga jij maar naar het feest.
Laat mij maar hier.'
Wil schudt zijn hoofd.
'Niks ervan,' zegt hij.
'Ik ga niet naar het feest.
Jij bent ziek, dus ik blijf bij jou.
Ik zorg voor je.'

Wat naar nou.
Wat een pech dat Bil ziek is.
Wil staat op.
Hij kleedt zich aan.
'Hier heb je een bel,' zegt hij.
'Als er wat is, bel je maar.
Dan kom ik meteen.'
'Goed,' zegt Bil.
'Ik bel als ik wat wil.'

De bel van Bil

Wil loopt de gang op.
Daar schuift hij een stoel naar het raam.
Kijk eens!
Het is nu al druk in het dorp.
Wat ziet het er mooi uit en...

KLING! KLONG!

Meteen veert Wil op.
Hij rent naar Bil.
'Wat is er?
Waarom bel je?'
'Wil, mijn keel is zo droog.
Ik wil een kopje thee.'
'Goed, Bil,' zegt Wil.
'Komt er aan.'
Wil zet een pot thee.
Hij snijdt een plak koek.
Hij schilt wat fruit.
'Kijk eens, Bil,' zegt hij.
'Voor jou.'
'O Wil!' zegt Bil.
'Wat veel, wat lief van je.'
'Bel maar als je nog iets wilt,' zegt Wil.

Wil gaat weer naar zijn stoel.
Kijk daar eens.
Daar gaat de optocht.
Wat een optocht!
Wat is er veel te zien!
Daar loopt...

KLING! KLONG!

Weer veert Wil op.
Hij holt naar het bed van Bil.
'Wat doe je, Wil?' vraagt Bil.
'Ik zit bij het raam,' zegt Wil.
'Ik kijk naar het feest.
De optocht is aan de gang.
Ik zag een man die op zijn hoofd staat.
Een vrouw met een beer aan een touw.
Een fiets met maar één wiel.
Mooi!'
'O Wil!' roept Bil uit.
'Wat wil ik graag naar dat feest.
Wat erg dat ik ziek ben.'
'Slaap maar wat,' zegt Wil.
'Wie weet voel je je daarna weer goed.
Dan gaan we toch naar het feest.'
'Goed, Wil,' zegt Bil.
Wil dekt Bil toe.

Weer gaat hij naar zijn stoel bij het raam.
Kijk eens, een snoepkraam!
Wat heeft Wil een trek in snoep.
En kijk daar eens.
Op het plein zingt een man een lied.
Een echt feestlied.
En wat is het druk.
Heel het dorp is er.
Heel het dorp viert feest!
En...

KLING! KLONG!

'Wil?
Ik heb geen slaap.
Lees je me wat voor?'
'Goed Bil, ik lees je wat voor.'

En zo gaat het heel de dag.
Bil belt en belt...
'Wil, ik heb het koud.'
'Wil, ik wil nog meer thee.'
'Wil, wat zie je van het feest?'
En Wil rent en vliegt en draaft.
Hij zet thee, hij smeert brood.
Hij leest een boek voor.
Hij dekt Bil nog eens toe.

Zo gaat de dag voorbij...

Te moe

Het is al laat op de dag.
Het jaar is nu echt bijna om.
Bil rekt zich uit.
Hij voelt zich niet ziek meer.
De buikpijn is weg.
De keelpijn is weg.
Nu kan hij toch naar het feest.
Om twaalf uur is er vuurwerk.
Dat moet hij zien!
Leuk!
Hij gaat de gang op.

'Wil!' zegt hij.

'Ik voel me weer goed.

Kom, we gaan het dorp in.'

Maar Wil zit in zijn stoel en slaapt.

'Wil, Wil!' roept Bil.

'Kom mee, ik ben niet meer ziek.

We gaan naar het feest.'

Wil kreunt.

'Moe...,' zegt hij zacht.

'Ik ben te moe voor het feest.

Ga jij maar, Bil.

Laat mij maar hier.'

Tja, Bil snapt dat wel.

Heel de dag had Wil het druk.

Hij was zo lief voor Bil!
Nu is hij te moe voor het feest.
'Wil,' zegt Bil.
'Als jij te moe bent, ga ik ook niet.
Ik blijf bij jou.'
'Maar...' zegt Wil.
Daarna zegt hij niets meer.
Hij slaapt al weer.
Bil dekt hem toe.
Wat naar nou.
Wat een pech dat Wil moe is.
Maar Bil laat hem niet alleen.
Niets ervan.
Hij kruipt bij Wil in de stoel.

In het dorp gaat het feest door.
De zon is weg, de lucht is zwart.
Hoor eens, daar is het vuurwerk!
KNAL!... een vuurpijl.
PSSSS!... en nog een.
'Oooooh!' hoor je in het dorp.
'Wat mooi, wat groot!'
Bil tuurt door het raam.
Maar hij kan het niet goed zien.
Nou ja, het is niet erg.
Wil ziet het ook niet.
En toch...

Voorbij

Diep in de nacht rekt Wil zich uit.
Hij gaapt.
'Hmmm,' zegt hij.
'Dat was een fijn dutje.
Wat lief dat je naast me zit, Bil.
Ik ben niet meer moe.
Ik heb zin in feest.
Jij ook?'
'Nou en of!' zegt Bil.
'Kom gauw, Wil.
We gaan het dorp in.
We gaan naar het feest!'
'Ja, we gaan naar het feest!'

Maar...
Er is geen feest meer in het dorp.
Het is geen oudjaar meer.
De tent is weg.
De snoepkraam is weg.
De optocht is voorbij.
Het vuurwerk is op.
Geen mens is er meer te zien.
Heel het dorp slaapt.
'O, Wil!' zegt Bil.
'O, Bil!' zegt Wil.
'Kom, we gaan naar huis.'
'Ja, we gaan naar huis,' knikt Bil.

21

Thuis

Bil steekt een kaars aan.
Wil pakt een zak snoep.
Hij kruipt bij Bil in de leunstoel.
Stil zit het tweetal daar.
'Wat een optocht...,' zucht Wil.
'Wat een vuurwerk...,' kreunt Bil.
Dan zegt Wil: 'Zeg Bil?
Ik weet iets fijns.'
'O ja, Wil?' vraagt Bil.
'Nog één jaartje, Bil,' zegt Wil.
'Dan is het zover.
Dan is het weer oudjaar.
Dan is er weer feest.'
'Dat is waar,' zegt Bil.
'Dan komt er weer feest.'
Blij kijkt hij Wil aan.
'Een jaartje is niet zo lang, hè?'
'Nee hoor,' zegt Wil.
'Dat is zo om.'
'O Wil, en dan gaan we erheen, hè?
Dan gaan we naar het feest.'
'Ja,' zegt Wil.
'Dan gaan we naar het feest.'
'Jaah!' roept Bil uit.
'Ik heb er nu al zin in.

Fijn, hè Wil, dat we naar het feest gaan?'
'Heel erg fijn, Bil,' zegt Wil.

Spetter

Serie 1, na 4 maanden leesonderwijs, sluit aan bij *Veilig leren lezen* kern 7.
Serie 2, na 5 maanden leesonderwijs, sluit aan bij *Veilig leren lezen* kern 8.
Serie 3, na 6 maanden leesonderwijs, sluit aan bij *Veilig leren lezen* kern 9.
Serie 4, na 7 maanden leesonderwijs, sluit aan bij *Veilig leren lezen* kern 10.
Serie 5, na 8 maanden leesonderwijs, sluit aan bij *Veilig leren lezen* kern 11.
Serie 6, na 9 maanden leesonderwijs, sluit aan bij *Veilig leren lezen* kern 12.

In Spetter serie 1 zijn verschenen:

Lieneke Dijkzeul: naar zee, naar zee!
Dies van Ede: net niet nat
Vivian den Hollander: die zit!
Rindert Kromhout: een dief in huis
Elle van Lieshout en Erik van Os: dag schat
Koos Meinderts: man lief en heer loos
Anke de Vries: jaap is een aap
Truus van de Waarsenburg: weer te laat?

In Spetter serie 3 zijn verschenen:

Lieneke Dijkzeul: Je bent een koukleum!
Lian de Kat: Stijntje Stoer
Wouter Klootwijk: Lies op de pont
Rindert Kromhout: Feest!
Ben Kuipers: Wat fijn dat hij er is
Paul van Loon: Ik ben net als jij
Hans Tellin: Mauw mag niet mee
Anke de Vries: Juf is een spook

Spetter is er ook voor kinderen van 7 en 8 jaar.

STICHTING NEDERLANDSE
KINDERJURY
2000

avi 2

Boeken met dit vignet zijn op niveaubepaling geregistreerd en
gecontroleerd door KPC Onderwijs Adviseurs te 's-Hertogenbosch.

2 3 4 5 / 03 02 01

ISBN 90.276.4221.4 • NUGI **260**/220

Vormgeving: Rob Galema (studio Zwijsen)
Logo Spetter en schutbladen: Joyce van Oorschot

© 1999 Tekst: Rindert Kromhout
Illustraties: Jan Jutte
Uitgeverij Zwijsen Algemeen B.V. Tilburg

Voor België:
Uitgeverij Infoboek N.V. Meerhout
D/1999/1919/46